Le gros appétit de Thomas Petit

Texte : Raymond Plante
Illustrations : Benoît Laverdière

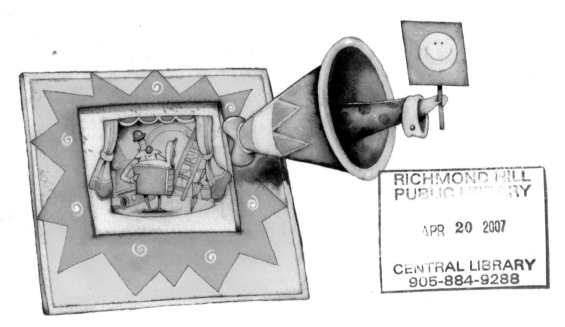

D1378600

Les 400 coups

Nous remercions le Conseil des Arts du Canada de l'aide accordée à notre programme de publication et la SODEC pour son appui financier en vertu du Programme d'aide aux entreprises du livre et de l'édition spécialisée.

Nous reconnaissons l'aide financière du gouvernement du Canada par l'entremise du Programme d'aide au développement de l'industrie de l'édition (PADIÉ) pour nos activités d'édition.

Le gros appétit de Thomas Petit
a été publié sous la direction de Paule Brière.

Design graphique : Mathilde Hébert
Révision : Marie-Josée Brière
Correction : Anne-Marie Théorêt

Diffusion au Canada
Diffusion Dimedia inc.
539, boulevard Lebeau
Saint-Laurent (Québec)
H4N 1S2

Diffusion en Europe
Le Seuil

© 2004 Raymond Plante, Benoît Laverdière
et les éditions Les 400 coups
Montréal (Québec)

Dépôt légal – 2e trimestre 2004
Bibliothèque nationale du Québec
Bibliothèque nationale du Canada

ISBN 2-89540-142-X

À la petite Mélodie-Michèle,
qu'elle ait l'appétit de vivre
de sa grand-mère Passe-Partout.
Raymond

Thomas Petit a toujours une faim de loup.

Il mange n'importe quoi : de la viande, des fruits, des légumes,
du pain, du fromage et du chocolat. Tout fait le bonheur de son estomac,
la soupe au chou autant que la soupe aux pois. Les œufs le ravissent,
qu'ils soient à la coque ou en omelette. Le poulet rôti lui met l'eau
à la bouche, et le rôti de bœuf est bien vite englouti.

Quand il s'attaque à un poisson, il peut avaler la tête,
la queue et les arêtes sans s'étouffer.

Même le pot de beurre d'arachide tremble un peu quand Thomas
se prépare une tartine.

Si le dessert arrive sur la table, que ce soit une tarte aux pommes
ou un gâteau au caramel, sa mère n'a jamais besoin de lui dire :

« Avant de songer au dessert, tu dois manger toute ton assiette. »

Non, ce garçon dévore tout avec un tel appétit qu'il croque son
assiette. Et si sa mère a le dos tourné, il peut même gober sa cuillère,
sa fourchette et son couteau.

À l'école, il faut le surveiller. Il grignote les gommes à effacer, les cahiers ou les crayons à colorier. Il apprécie toutes les couleurs avec une préférence pour le bleu ciel.

En mangeant de cette façon, Thomas Petit a rapidement grandi et grossi. Il est devenu un géant.

Et il répète inlassablement :

– J'ai faim. Ah ! Qu'est-ce que j'ai faim !

La pire chose, pour
un garçon qui dévore n'importe quoi,
c'est de prendre l'autobus. Son estomac
y rencontre mille et une tentations.
    Plié en deux, Thomas regarde autour de lui
en se léchant les babines.

Il mordrait volontiers dans le journal d'une jeune fille. Il se retient de ne pas croquer la boîte à lunch d'un écolier. Il réprime l'envie de picorer la cravate à pois d'un monsieur sérieux.

Mais comment résister à ce chapeau melon qui s'agite sous son nez? Il ouvre la bouche et...

– Un instant, jeune homme, tu ne peux pas faire ça, l'avertit une voix chevrotante.

Le petit vieux qui porte le chapeau l'a vu venir.

– Les chapeaux melon se digèrent très mal, poursuit-il.

Thomas Petit le regarde. L'homme a le nez rouge. Une vraie grosse cerise mûre. Il tient à la fois du clown et du vagabond un peu porté sur le vin.

Jamais le géant n'a croisé quelqu'un d'aussi appétissant.
En un clin d'œil, il avale le pauvre petit bonhomme.

Son goûter inusité lui cause vite d'énormes ennuis. D'abord,
il a beaucoup de mal à sortir de l'autobus. Puis il ressent un affreux
mal de ventre.

Pour calmer son malaise, Thomas lèche une montagne
de crème glacée.

Il ne se sent pas mieux.

Dans son ventre, de vives douleurs le tenaillent de plus belle.

À la maison, il se roule par terre en se lamentant. Évidemment,
il ne se vante pas d'avoir gobé tout rond un petit vieux à chapeau
melon. Sa mère croit qu'il fait une simple indigestion.

– Si tu jeûnais pendant un jour ou deux ?
lui propose-t-elle.

Comment se priver de nourriture quand on a
l'habitude de manger tout et n'importe quoi ?
Surtout que, dans sa tête, une petite voix répète
sans cesse :

– J'ai faim. Ah ! Qu'est-ce que j'ai faim !

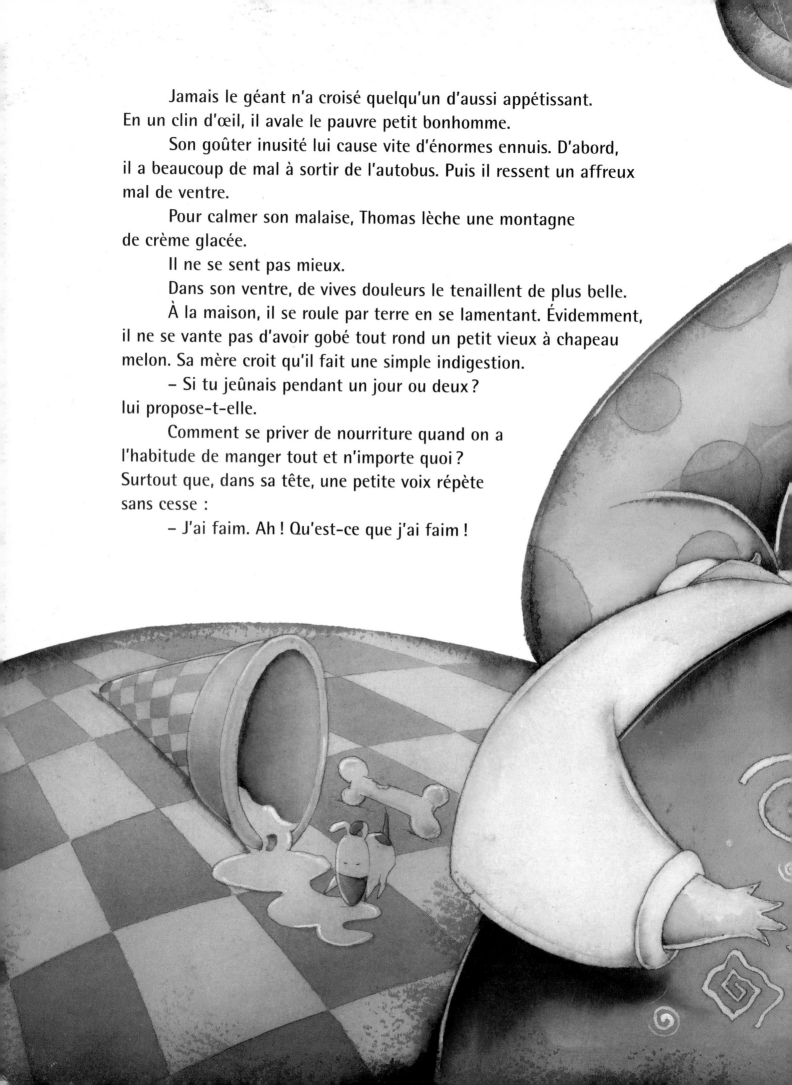

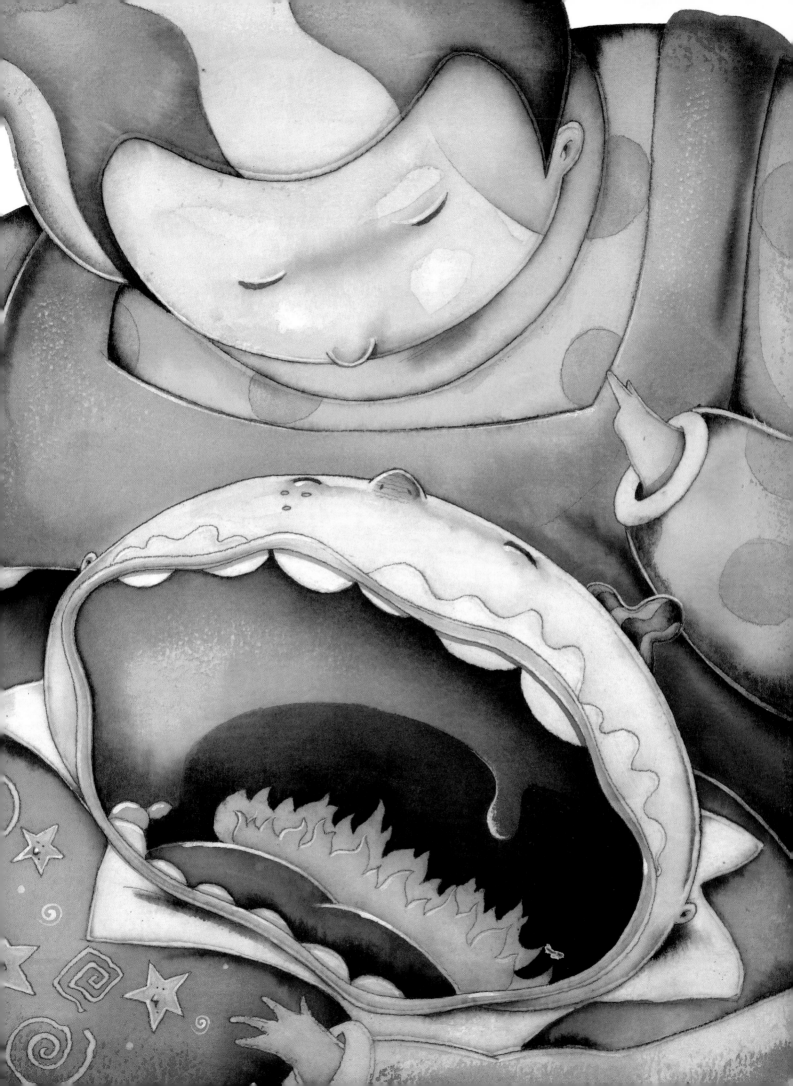

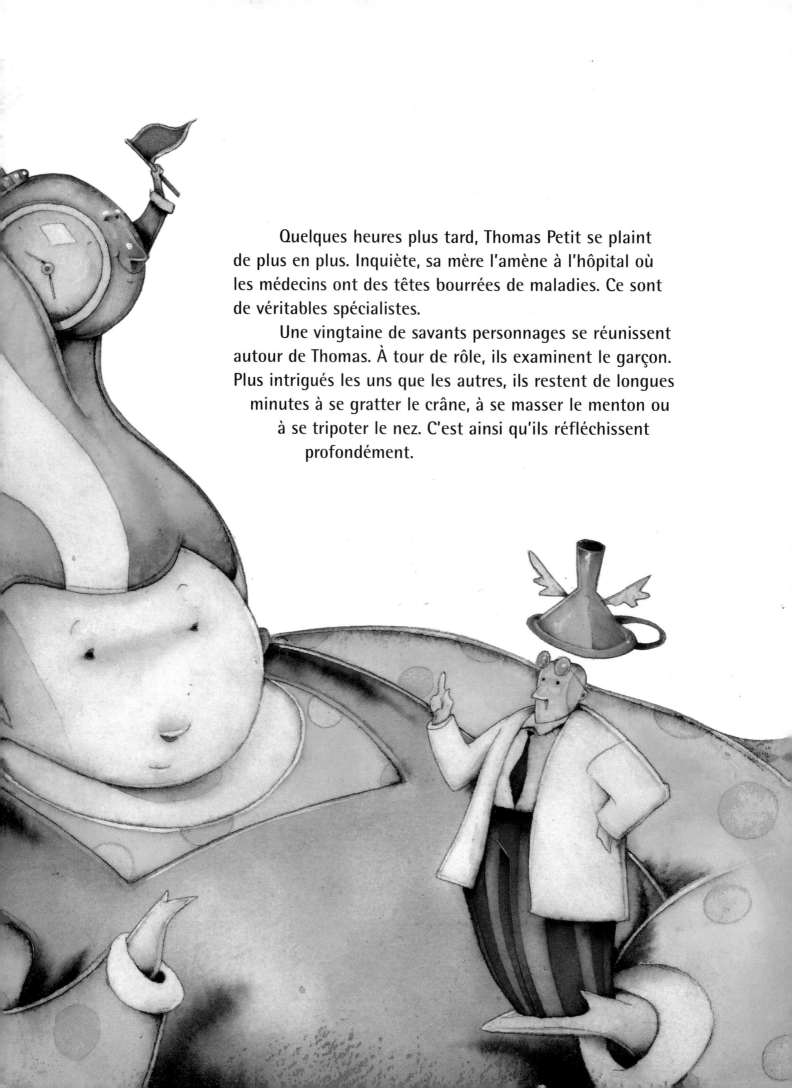

Quelques heures plus tard, Thomas Petit se plaint de plus en plus. Inquiète, sa mère l'amène à l'hôpital où les médecins ont des têtes bourrées de maladies. Ce sont de véritables spécialistes.

Une vingtaine de savants personnages se réunissent autour de Thomas. À tour de rôle, ils examinent le garçon. Plus intrigués les uns que les autres, ils restent de longues minutes à se gratter le crâne, à se masser le menton ou à se tripoter le nez. C'est ainsi qu'ils réfléchissent profondément.

Finalement, l'un d'entre eux propose de placer
Thomas dans une machine qui dévoilera l'intérieur
de son corps. L'idée n'est pas bête.

À l'écran, tous les spécialistes découvrent l'origine
du malaise.

Dans l'estomac du géant, un petit homme
donne de violents coups de parapluie.

Une femme médecin pose aussitôt
son stéthoscope sur le ventre de Thomas.
Pendant une longue minute, elle écoute.

– On dirait un vieux monsieur, souffle-t-elle.
Il dit qu'il n'a plus faim et qu'il en a assez de la crème
glacée. Il grelotte.

– C'est tant pis pour lui, réplique le garçon.
Moi, j'ai faim. Ah ! Qu'est-ce que j'ai faim !

Pauvre Thomas Petit ! Les médecins ont décidé qu'il était préférable de ne pas le nourrir avant d'avoir délivré le vieil homme.

Au milieu de la nuit, le géant est envahi par des picotements. Comme si une colonie de fourmis rouges lui mordillait l'estomac. C'est insupportable.

Thomas se rend aux toilettes. Là, devant le miroir, il remonte le haut de son pyjama.

À sa grande surprise, au-dessus de son nombril, il y a une fenêtre. Une fenêtre avec un grand rideau fermé.

– Eh ! s'étonne Thomas. Qu'est-ce qu'on a bricolé sur mon ventre ?

La tête plissée du petit vieux qu'il a avalé apparaît entre les deux pans du rideau.

– J'en ai fait mon théâtre.

– Mais c'est mon ventre !

– Maintenant, c'est mon théâtre ! réplique le petit homme. Et la nuit, on dort. Bonne nuit !

Là-dessus, il disparaît derrière son rideau et se met à ronfler à endormir une pierre.

Thomas aurait préféré que son visiteur lui souhaite un bon appétit. Parce que, lui, il a faim.
Ah ! Qu'est-ce qu'il a faim !

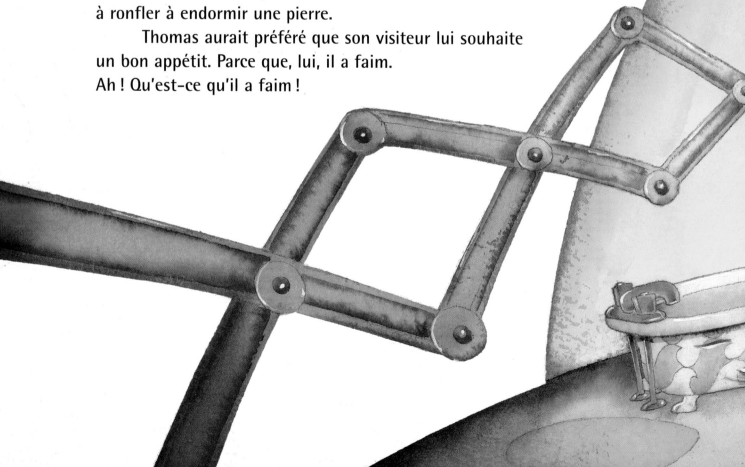

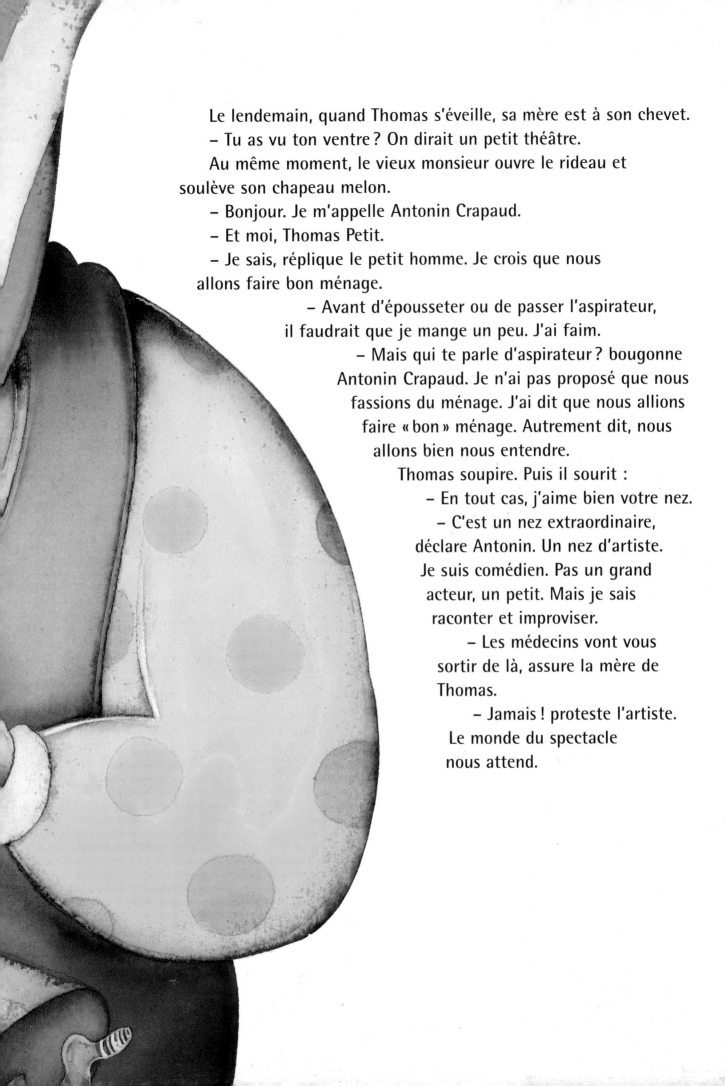

Le lendemain, quand Thomas s'éveille, sa mère est à son chevet.

– Tu as vu ton ventre ? On dirait un petit théâtre.

Au même moment, le vieux monsieur ouvre le rideau et soulève son chapeau melon.

– Bonjour. Je m'appelle Antonin Crapaud.

– Et moi, Thomas Petit.

– Je sais, réplique le petit homme. Je crois que nous allons faire bon ménage.

– Avant d'épousseter ou de passer l'aspirateur, il faudrait que je mange un peu. J'ai faim.

– Mais qui te parle d'aspirateur ? bougonne Antonin Crapaud. Je n'ai pas proposé que nous fassions du ménage. J'ai dit que nous allions faire « bon » ménage. Autrement dit, nous allons bien nous entendre.

Thomas soupire. Puis il sourit :

– En tout cas, j'aime bien votre nez.

– C'est un nez extraordinaire, déclare Antonin. Un nez d'artiste. Je suis comédien. Pas un grand acteur, un petit. Mais je sais raconter et improviser.

– Les médecins vont vous sortir de là, assure la mère de Thomas.

– Jamais ! proteste l'artiste. Le monde du spectacle nous attend.

Le comédien confie alors au jeune géant son désir
le plus cher : être transporté aux quatre coins de la ville.
Thomas accepte, compréhensif.

Vêtu d'un grand manteau boutonné, il entreprend de
longues promenades. Lorsqu'il se sent prêt, monsieur Crapaud
lui donne trois coups de parapluie.

Alors, en pleine rue, Thomas écarte les pans de son manteau
en annonçant :

– Mesdames et messieurs, petits et grands, place au spectacle !

Les spectateurs sont déjà nombreux. C'est normal puisque
la curiosité amène les gens à regarder les géants.

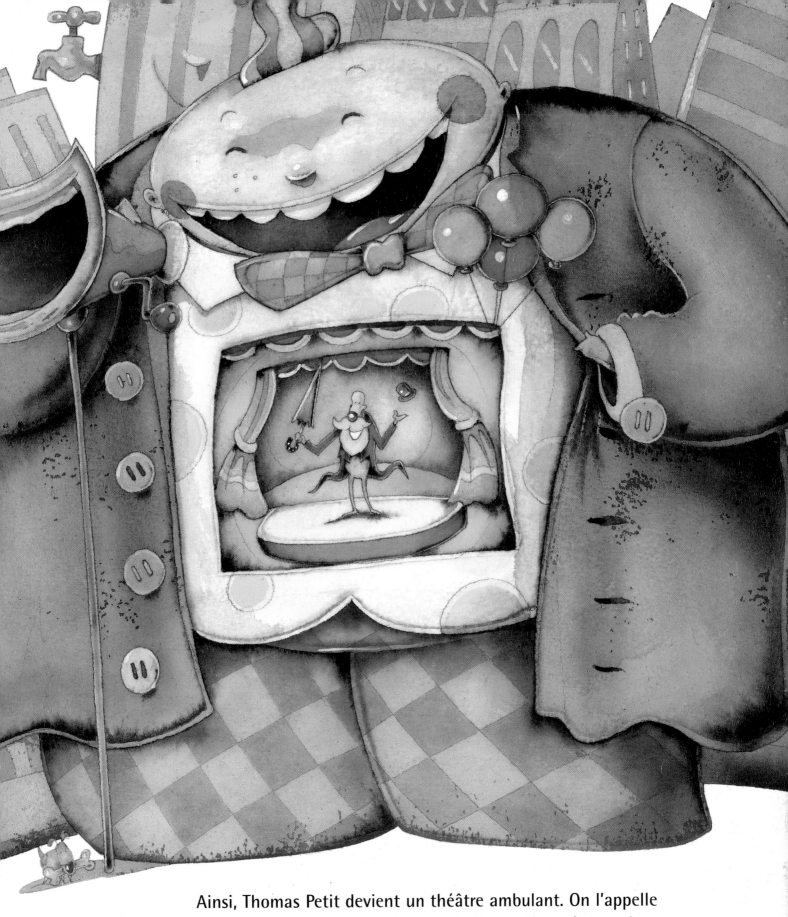

Ainsi, Thomas Petit devient un théâtre ambulant. On l'appelle
« Le Petit Théâtre du Crapaud », et Antonin Crapaud y présente des
numéros extraordinaires.

Jamais le garçon ne l'interrompt pour dire :
« J'ai faim. Ah ! Qu'est-ce que j'ai faim ! »

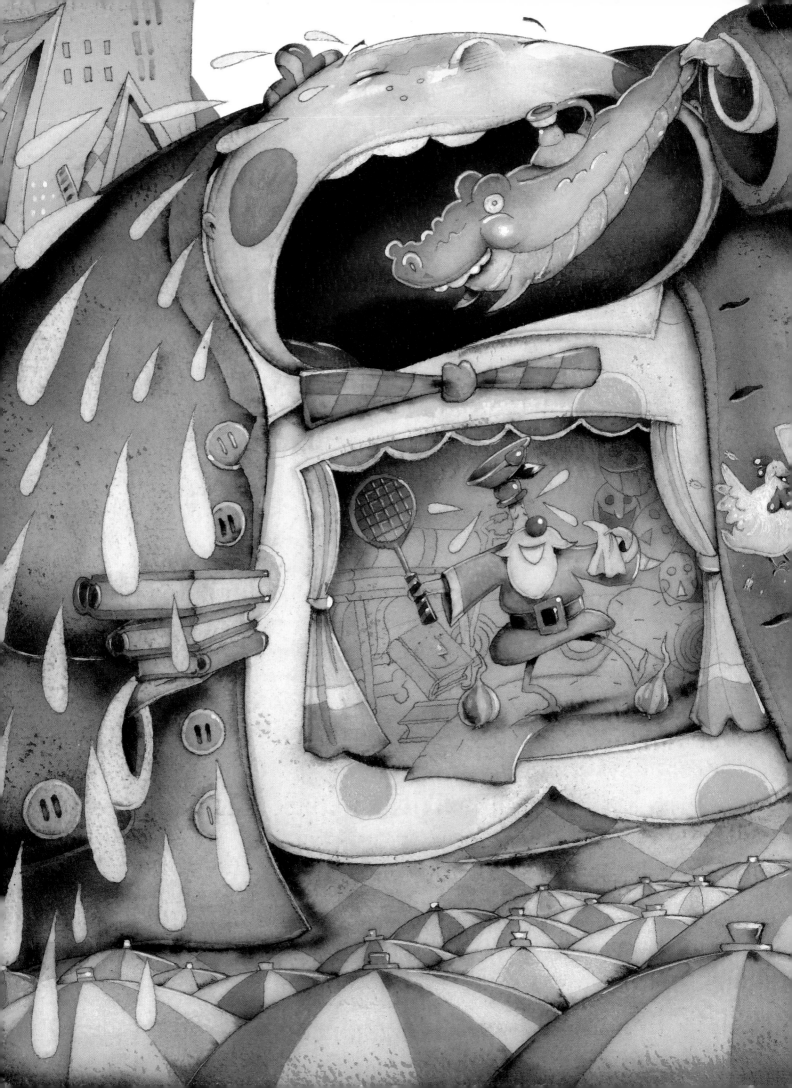

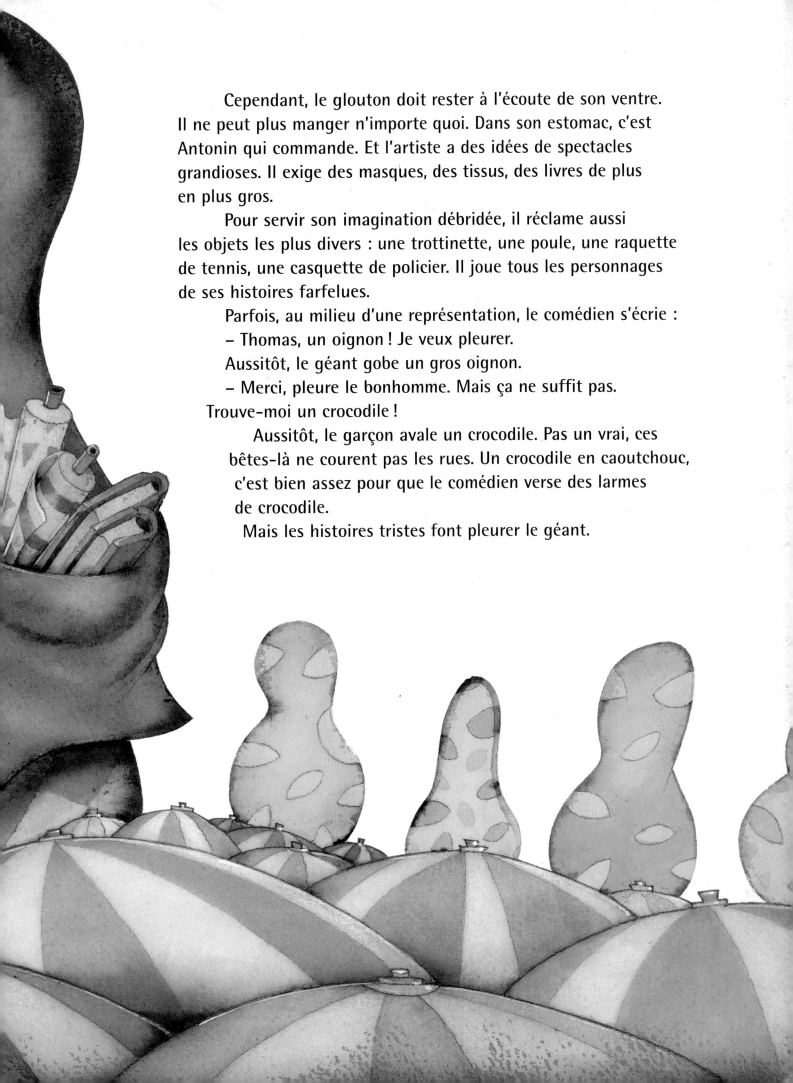

Cependant, le glouton doit rester à l'écoute de son ventre.
Il ne peut plus manger n'importe quoi. Dans son estomac, c'est
Antonin qui commande. Et l'artiste a des idées de spectacles
grandioses. Il exige des masques, des tissus, des livres de plus
en plus gros.

Pour servir son imagination débridée, il réclame aussi
les objets les plus divers : une trottinette, une poule, une raquette
de tennis, une casquette de policier. Il joue tous les personnages
de ses histoires farfelues.

Parfois, au milieu d'une représentation, le comédien s'écrie :

– Thomas, un oignon ! Je veux pleurer.

Aussitôt, le géant gobe un gros oignon.

– Merci, pleure le bonhomme. Mais ça ne suffit pas.
Trouve-moi un crocodile !

Aussitôt, le garçon avale un crocodile. Pas un vrai, ces
bêtes-là ne courent pas les rues. Un crocodile en caoutchouc,
c'est bien assez pour que le comédien verse des larmes
de crocodile.

Mais les histoires tristes font pleurer le géant.

Pour le consoler, l'étrange Antonin Crapaud grimace :
– Cesse de pleurnicher ! Va plutôt me chercher trois squelettes,
quatre fantômes et une chauve-souris.

Par quel tour de magie le bonhomme réussit-il à faire
s'entrechoquer les squelettes, flotter les fantômes et voler la
chauve-souris ? Thomas l'ignore. Et il frissonne de la tête aux pieds.

Quand il a trop peur, il avale une tarte à la crème...
qui tombe sur la tête d'Antonin. Dans l'assistance,
la peur se transforme en rigolade. Lorsque
le comédien rouspète :
– Une tarte à la crème, ce n'est
pas drôle du tout !
Thomas Petit lui répond :
– J'avais trop faim ! Oh !
Qu'est-ce que j'avais faim !

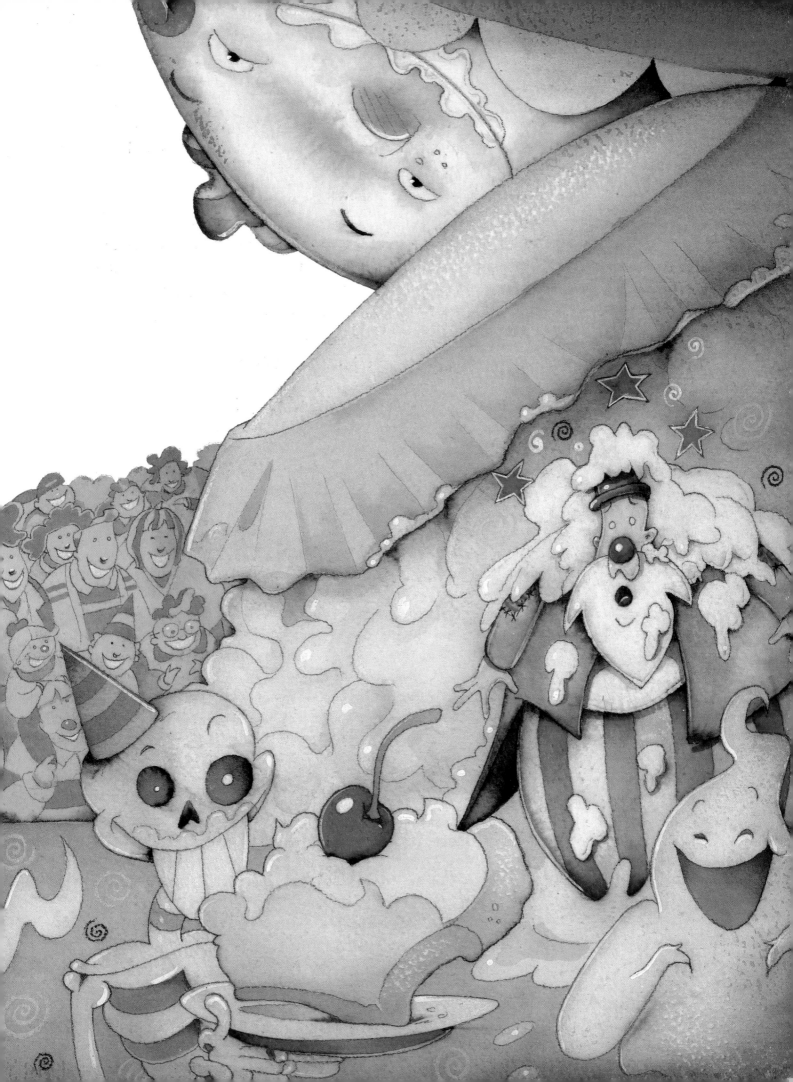

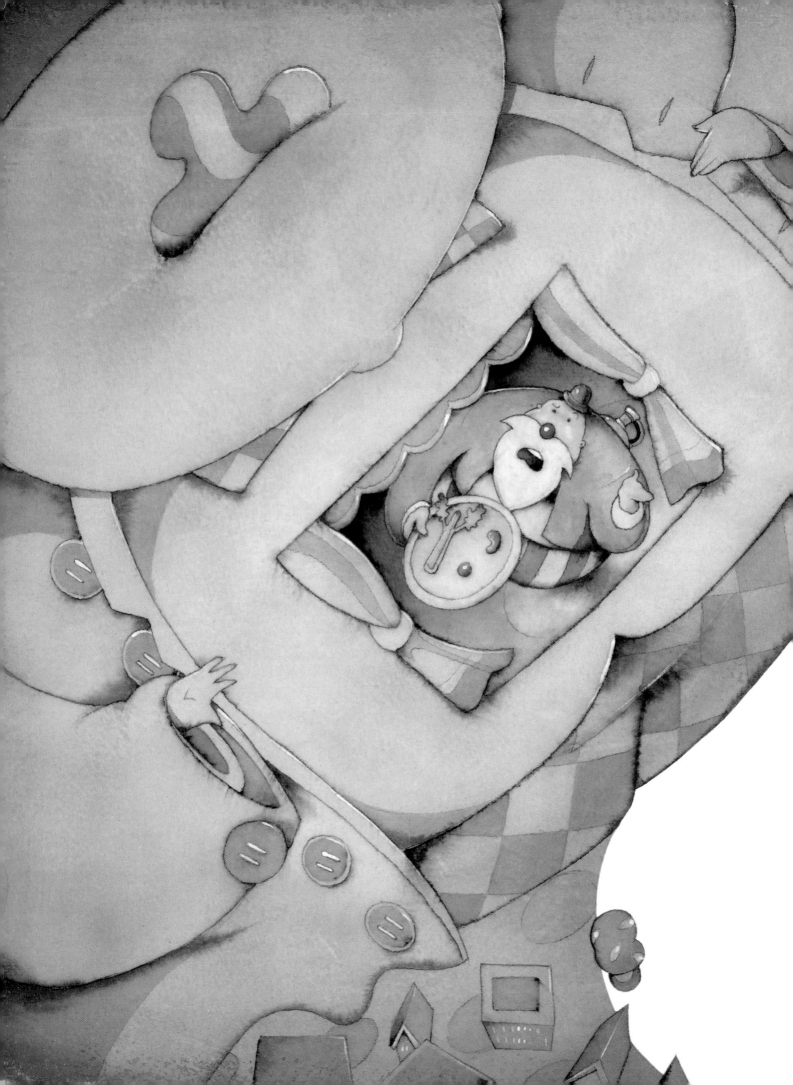

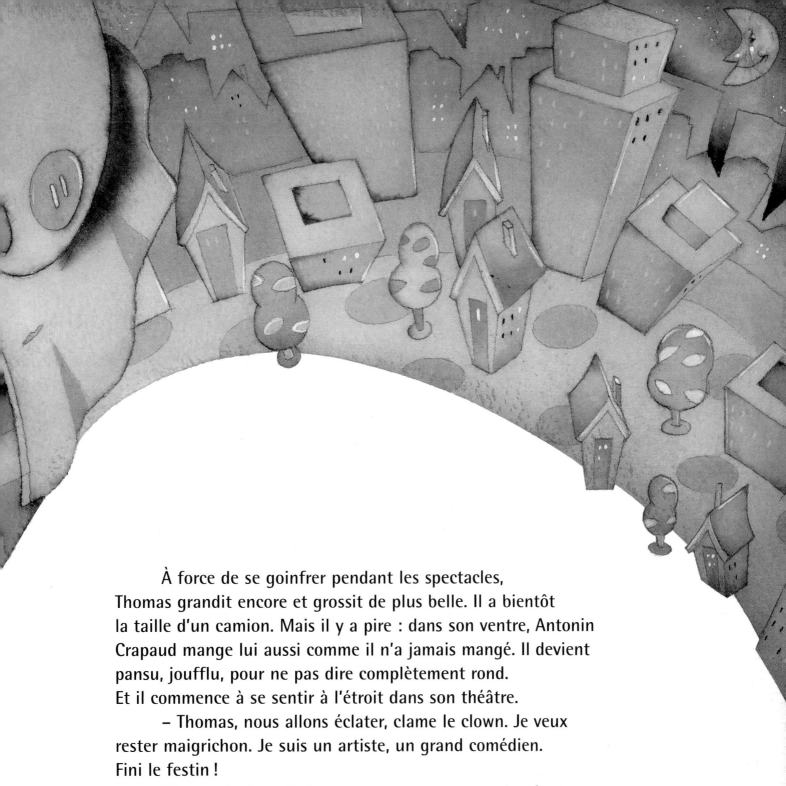

À force de se goinfrer pendant les spectacles,
Thomas grandit encore et grossit de plus belle. Il a bientôt
la taille d'un camion. Mais il y a pire : dans son ventre, Antonin
Crapaud mange lui aussi comme il n'a jamais mangé. Il devient
pansu, joufflu, pour ne pas dire complètement rond.
Et il commence à se sentir à l'étroit dans son théâtre.

— Thomas, nous allons éclater, clame le clown. Je veux
rester maigrichon. Je suis un artiste, un grand comédien.
Fini le festin !

Désormais, le petit homme au nez rouge met le géant
au régime. Certains jours, il accepte une olive, un cornichon
ou un petit radis. Rien de plus.

Imaginez : une olive, un cornichon ou un radis pour
le grand Thomas Petit. C'est la famine !

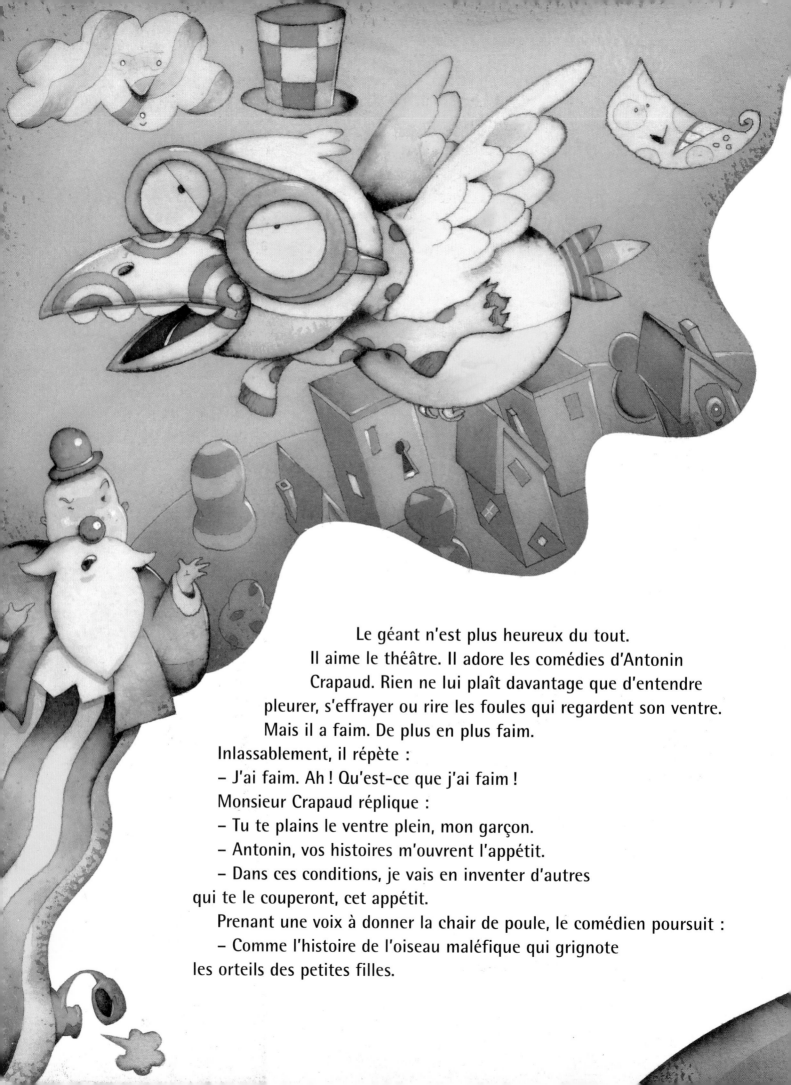

Le géant n'est plus heureux du tout.

Il aime le théâtre. Il adore les comédies d'Antonin Crapaud. Rien ne lui plaît davantage que d'entendre pleurer, s'effrayer ou rire les foules qui regardent son ventre.

Mais il a faim. De plus en plus faim.

Inlassablement, il répète :

– J'ai faim. Ah ! Qu'est-ce que j'ai faim !

Monsieur Crapaud réplique :

– Tu te plains le ventre plein, mon garçon.

– Antonin, vos histoires m'ouvrent l'appétit.

– Dans ces conditions, je vais en inventer d'autres qui te le couperont, cet appétit.

Prenant une voix à donner la chair de poule, le comédien poursuit :

– Comme l'histoire de l'oiseau maléfique qui grignote les orteils des petites filles.

– Un oiseau magnifique ? dit Thomas Petit. J'en mangerais bien un. Il vous tiendrait compagnie.

Vous croyez qu'Antonin réussit à couper l'appétit de Thomas ? Pas du tout. Par contre, au lieu d'exiger une foule d'accessoires, l'homme de théâtre se contente désormais d'un peu de maquillage. Pour le reste, il compte sur ses gestes et sur sa voix. En quelques jours, Thomas Petit redevient un simple géant. Et Antonin Crapaud, un comédien pétillant.

Depuis, les gens de la ville assistent
à une pièce qui met en scène un vieux
raconteur et un garçon gros et grand qui
mange des gâteaux, du spaghetti, de la soupe...
et, à l'occasion, un ou deux livres de contes, parce qu'il
n'y a rien de meilleur pour la santé.

Et quand le garçon demande : « Est-ce qu'on arrive à la fin ? »,
Antonin Crapaud termine son histoire au plus vite. Il sait que
Thomas Petit, comme d'habitude, a faim.

Ah ! Qu'est-ce qu'il a faim !

FiN